LE NOËL DES BONSHOMMES DE NEIGE

Caralyn Buehner
Illustrations de Mark Buehner

Texte français de Claudine Azoulay

Éditions
SCHOLASTIC

La veille de Noël, j'ai fait un bonhomme de neige
vraiment gros et tout souriant.
Je l'ai habillé de rouge et de vert,
et j'ai décoré de houx son chapeau élégant.

Il semblait attendre quelque chose.
Dans son regard, il y avait comme une étincelle.
Je me suis alors demandé
si les bonshommes de neige fêtaient Noël.

Je crois que, pendant que je dors
en rêvant de cadeaux et de douceurs sucrées,
les bonshommes de neige, à la hâte,
quittent leur place, tout excités.

Ils glissent le long des rues enneigées,
ornées de guirlandes scintillantes,
pendant que la ville sommeille
sous une couche de neige brillante.

Ils passent devant les magasins
aux vitrines illuminées,
et s'arrêtent de temps à autre
pour contempler les cadeaux exposés.

Venant de partout,
les bonshommes de neige se rassemblent.
Ils vont passer le réveillon de Noël
au centre-ville, tous ensemble.

Ils se saluent de la main
et se lancent d'heureux bonsoirs.
Les amis et la parenté
sont si contents de se voir!

Pour bien décorer la place,
des bonshommes de neige enjoués
accrochent partout des guirlandes
et des glaçons argentés.

Et au milieu, bien en vue,
sur un sapin de Noël géant,
ils suspendent des boules de neige,
et une étoile, évidemment.

Les enfants jouent au ballon chasseur
et aussi à la « tag » glacée.
Ils forment de hautes pyramides
qui finissent par s'écrouler!

Sur une grande table,
les mamans posent des gâteries :
crème glacée, cornets de neige
et autres délices assortis.

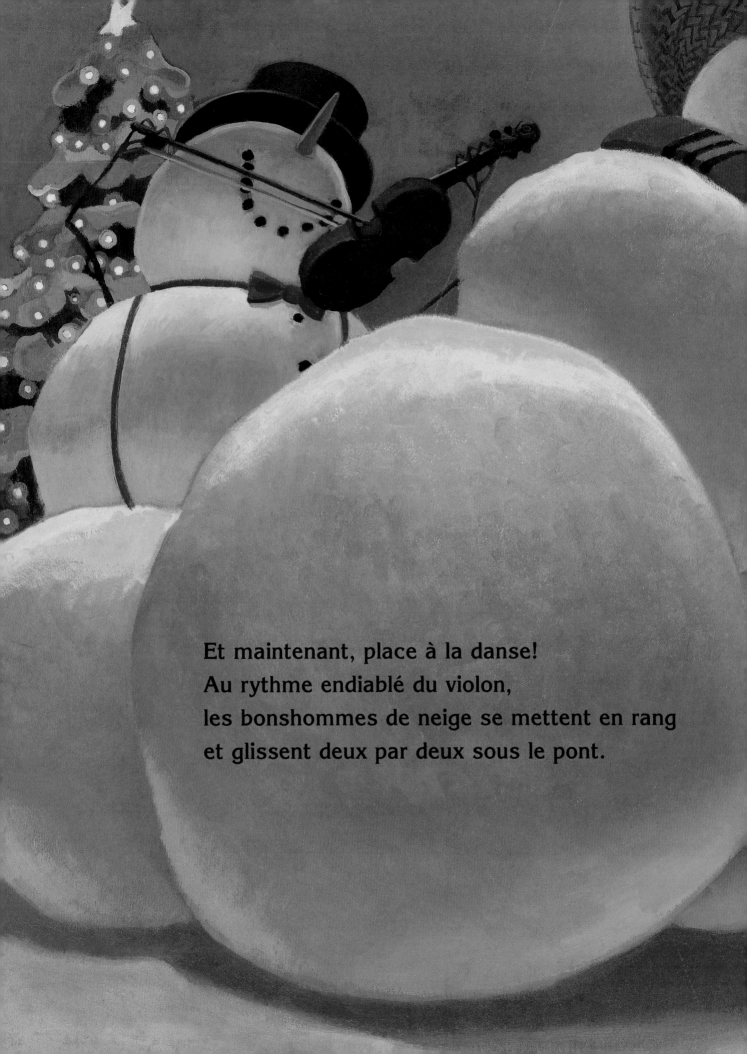

Et maintenant, place à la danse!
Au rythme endiablé du violon,
les bonshommes de neige se mettent en rang
et glissent deux par deux sous le pont.

Quelqu'un fait : « Chut!
Ce sont bien des grelots que j'entends? »
Puis du haut de la colline,
le traîneau du père Noël descend.

Le père Noël ouvre son sac
avec de joyeux ho! ho! ho!
Il donne des cadeaux de neige
et boit du chocolat chaud.

Mais la tournée n'est pas finie
et les rennes s'impatientent.
Au coup de sifflet du père Noël,
l'attelage s'élance, telle une étoile filante.

Que de gaieté! Que de plaisir!
Mais la fête n'est pas encore terminée.
Se tenant tous par la main,
les bonshommes se mettent à osciller.

Au son des clochettes et du violon,
ils entonnent de jolis chants
qui parlent d'étoiles, de neige
et de la naissance d'un enfant.

Les enfants tombent de sommeil.
Les adultes bâillent à qui mieux mieux.
Alors, aux petites heures du matin,
les bonshommes de neige rentrent chez eux.

Chacun d'eux a repris sa place
quand se lève le jour de Noël,
mais ces bonshommes tout en neige
rayonnent d'une joie sans pareille.

Leur beau sourire s'agrandit
et leurs yeux se mettent à briller,
chaque fois qu'ils repensent
au Noël merveilleux qu'ils ont passé.

JOYEUX NOËL!

À JaDene Denniston
et à tous nos amis
de l'école primaire Sunrise

Aux jeunes lecteurs : Recherchez le chat, le visage
du père Noël, le tyrannosaure et le lapin qui se
cachent dans les illustrations, ainsi que la petite
souris brune qui s'est glissée dans chacune d'elles.

Édition publiée par les Éditions Scholastic, 604, rue King Ouest, Toronto (Ontario) M5V 1E1,
avec la permission de Phyllis Fogelman Books.

8 7 6 5 4   Imprimé à Singapour 46   11 12 13 14 15

Conception graphique : Lily Malcolm

Le texte est imprimé dans la police de caractères Korinna.

Catalogage avant publication de Bibliothèque
et Archives Canada

Buehner, Caralyn

Le Noël des bonshommes de neige /
Caralyn Buehner; illustrations de Mark Buehner;
texte français de Claudine Azoulay.

Traduction de : Snowmen at Christmas.
Niveau d'intérêt selon l'âge : Pour les 4-8 ans.
ISBN-13 978-0-439-94171-6
ISBN-10 0-439-94171-7

I. Buehner, Mark II. Azoulay, Claudine III. Titre.

PZ23.B827No 2006 j813'.54 C2006-902884-2